Dibujar mapas es una buena manera de despertar nuestra imaginación, recrear historias o mundos perdidos que sólo existen en las novelas de aventuras o en nuestros mejores sueños. Como ejemplo de un mapa imaginario, mostramos el mapa de un tesoro y que suele acompañarse de iconos reconocibles (bosque, palmera, pueblo, faro, puente...) que facilitan su interpretación.

Materiales

- Lápiz de grafito HB
- Regla de plástico
- Goma de borrar
- Lápices de colores
- Rotulador negro de punta fina
- Rotulador negro de punta normal

Un mapa en tres dimensiones

Vamos a traducir un sencillo paisaje (que presenta un pueblo y tres colinas, una de ellas con un pequeño acantilado), en un mapa en tres dimensiones, a partir del método de proyectar las curvas de nivel. Para ello, primero se dibuja una visión aérea del paisaje, construyendo las montañas con formas redondeadas y concéntricas. Finalmente, asignamos un color para cada altura, teniendo en cuenta que a mayor intensidad mayor altura.

Mi querida sobrina
Danielita estoy segura
que este buen libro
te enseñará los temas
que a ti te gustan.
Cuídalo mucho
tu tía abuela
Carmen.

Danielita:
Espero que te guste este libro
¡Cuídelo!

Teo quiero mucho

Marta

6/5/13

GUÍAS DE CAMPO

Orientación y mapas

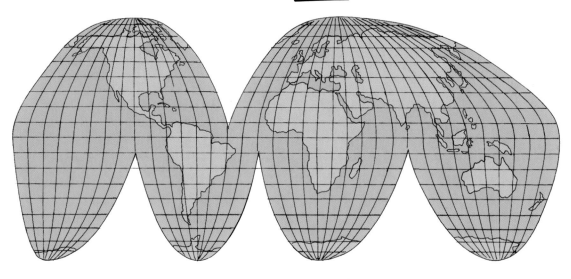

Ⓟ Parramón

Proyecto y realización
Parramón Ediciones, S.A.

Dirección editorial
Lluís Borràs

Ayudante de edición
Cristina Vilella

Textos
Eduardo Banqueri Forns-Samsó

Diseño gráfico y maquetación
Estudi Toni Inglès

Fotografías
AGE-Fotostock, Boreal, Desnivel, European Sp.,
Getty Images, D. Julián, Nasa-JSC, Nos & Soto, Jordi Vidal

Ilustraciones
Estudio Marcel Socías y Gabriel Martín Roig (guardas)

Dirección de producción
Rafael Marfil

Producción
Manel Sánchez

Preimpresión
Pacmer, S.A.

Segunda edición: marzo 2009

Orientación y mapas
ISBN: 978-84-342-2839-9

Depósito Legal: B-11.313-2009

Impreso en España

Agradecimientos
Por su colaboración en este volumen a: Berdala, Chiruca,
Coronel Tapioca, Editorial Alpina, J. Forch, Gore Tex, Netmaps,
Oregon Scientific, Silva Sweden, Sokkia.

SUMARIO

Presentación

El ser humano siempre ha tenido la necesidad de desplazarse de un lugar a otro. A veces, en busca de alimentos, nuevas tierras o climas más benignos. Otras, para extender su comercio o conquistar otros territorios. Por eso, desde las civilizaciones más antiguas los humanos han creído primordial representar el espacio en el que viven.

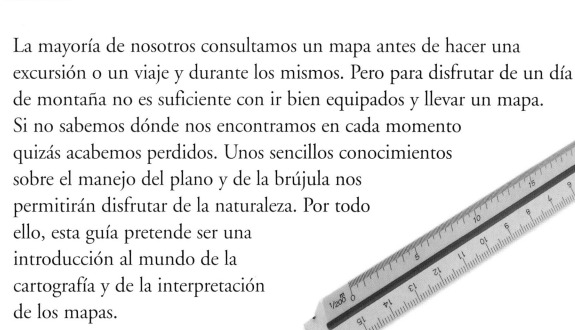

Desde hace siglos nos ha gustado saber qué vamos a encontrar y cuáles son las formas del terreno por donde vamos a pasar. Para representarlo, se empezó con unos simples trazos que indicaban las principales características o accidentes geográficos de un territorio, hasta llegar a los sofisticados mapas actuales realizados con ayuda de satélites.

La mayoría de nosotros consultamos un mapa antes de hacer una excursión o un viaje y durante los mismos. Pero para disfrutar de un día de montaña no es suficiente con ir bien equipados y llevar un mapa. Si no sabemos dónde nos encontramos en cada momento quizás acabemos perdidos. Unos sencillos conocimientos sobre el manejo del plano y de la brújula nos permitirán disfrutar de la naturaleza. Por todo ello, esta guía pretende ser una introducción al mundo de la cartografía y de la interpretación de los mapas.

El mundo en un trozo de papel

Los mapas son una representación gráfica de una zona de la Tierra sobre una superficie plana, en forma reducida y simplificada. En los mapas se pueden representar diferentes características, como el relieve, **los ríos, los diferentes países con sus ciudades, el tipo de vegetación, el clima, las carreteras, etc., y tienen muchas aplicaciones: militares, excursionismo, obra civil...**

Proyección cónica de Lambert nos informa del método utilizado para poder representar una porción esférica de la Tierra en un papel plano

paralelos son líneas de referencia paralelas al ecuador que nos ayudan a determinar la latitud de un punto del mapa

meridianos son líneas de referencia que pasan por los dos polos y que nos ayudan determinar la longitud de un punto del mapa

escala gráfica es una línea recta que representa una distancia determinada sobre el terreno

escala cromática muchos mapas utilizan diferentes colores para identificar las distintas alturas y profundidades

escala numérica indica el número de veces que hemos tenido que reducir un territorio para representarlo en un papel

1:50.000.000

El globo terráqueo

Es un mapa esférico de la superficie de la Tierra. En él se pueden observar los continentes y los océanos en su forma verdadera, aunque no permite ver las superficies con demasiado detalle.

4

Mapas para todos los gustos

La palabra mapa proviene del latín *mappa*, que significa pañuelo. Existen mapas de muchos tipos, aunque estos son los principales.

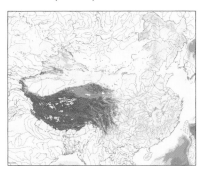

Mapas físicos

Mediante distintos colores representan las diferentes alturas: las llanuras, las mesetas, los valles y las montañas que constituyen el relieve de la región.

Mapas políticos

Muestran, con diferentes colores, los distintos países, provincias, capitales y ciudades.

Mapas topográficos

En ellos se representa el relieve mediante unas finas líneas, las curvas de nivel.

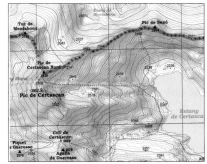

Mapas temáticos

Abordan características particulares de una zona (vegetación, geología, tipos de suelo, el clima, etc.).

Mapas excursionistas

Son mapas topográficos en los que, además, se indican los principales senderos, los refugios, los centros de información, etc.

Un planisferio o mapamundi es un mapa que representa en forma plana todo el planeta Tierra.

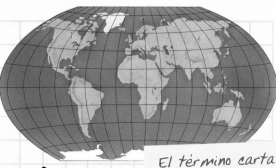

¿Dónde está el norte?

Por lo general los mapas están editados de tal forma que el norte queda en la parte superior. También se acostumbra a poner un dibujo de la rosa de los vientos, que indica dónde se encuentran el norte, el sur, el este y el oeste.

Carta náutica.

El término carta se aplica normalmente a un mapa usado para navegación aérea o marina.

La leyenda

Para que un mapa pueda contener gran cantidad de información de fácil lectura debe emplearse un sistema de símbolos. Muchos de éstos se utilizan con tanta frecuencia que se han convertido en símbolos aceptados de manera general y resultan fácilmente comprensibles.

autopista o autovía

carretera principal

carretera asfaltada

ferrocarril y estación

camino

límite de Estado

límite de provincia

monumento artístico

estación de servicio

pista de esquí

fuente

vista panorámica

aeropuerto

hotel

camping

punto de interés

refugio

 aparcamiento

 información

castillo

edificio religioso

Las líneas imaginarias de la Tierra

Al ser la Tierra esférica, no tiene ni principio ni fin. Por ello, si queremos localizar un punto en un mapa tendremos que trazar unas líneas imaginarias sobre la Tierra, de manera que formen una cuadrícula y podamos establecer un sistema de referencia con un origen.

Estas líneas están numeradas y permiten localizar cualquier punto mediante unos números llamados coordenadas geográficas. Algunas de estas líneas nos indican, además, zonas de la Tierra con unas particularidades astronómicas.

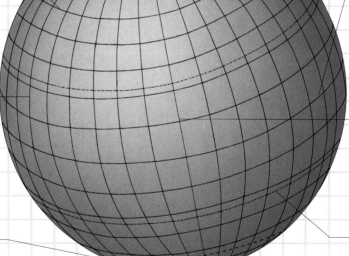

Círculo Polar Ártico
indica la latitud a partir de la cual durante el solsticio de verano el Sol no se pone en todo el día. Durante el solsticio de invierno por encima del círculo polar ártico no sale el Sol durante todo el día

paralelos
son líneas imaginarias que cortan perpendicularmente el eje sobre el que gira la Tierra sobre sí misma. Determinan la **latitud** de un punto

meridianos
son círculos máximos que pasan por los polos y, por tanto, son perpendiculares al ecuador. Determinan la **longitud** de un punto

Círculo Polar Antártico
a partir de este círculo y hasta el polo Sur nunca se hace de día durante el solsticio de invierno austral. Durante el solsticio de verano austral en esta zona no se pone el Sol

polo Norte
es el lugar donde el extremo del eje de rotación de la Tierra que apunta a la estrella Polar, corta a la superficie

polo Sur
es el lugar donde el extremo del eje de rotación de la Tierra opuesto a la estrella Polar corta a la superficie

Trópico de Cáncer
es el paralelo del hemisferio norte en donde el 21 de junio (solsticio de verano en el hemisferio norte) los rayos del Sol a mediodía caen verticalmente

Ecuador
es el paralelo 0, porque está a la misma distancia de un polo que del otro. Divide la Tierra en los hemisferios norte y sur

eje de la Tierra
es la línea recta imaginaria alrededor de la cual gira la Tierra

Trópico de Capricornio
es el paralelo del hemisferio sur en donde el 21 de diciembre (solsticio de invierno en el hemisferio norte) los rayos del Sol a mediodía caen verticalmente

Los hemisferios

El Ecuador y el meridiano de Greenwich permiten dividir la Tierra exactamente por la mitad, tanto horizontal como verticalmente. A cada una de estas partes se les da el nombre de hemisferio; así, a partir del Ecuador encontramos el hemisferio Norte y el hemisferio Sur, y por el meridiano de Greenwich el hemisferio Oriental y el hemisferio Occidental.

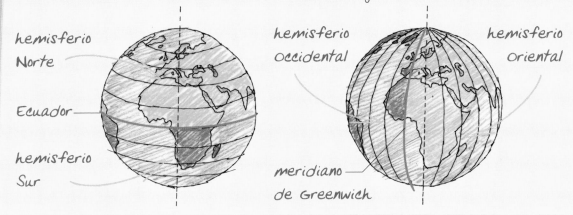

hemisferio Norte

Ecuador

hemisferio Sur

hemisferio Occidental

meridiano de Greenwich

hemisferio Oriental

La Tierra a vista de satélite.

¿Cómo se determinan las coordenadas geográficas de un punto de la Tierra?

coordenada del punto: 39ºN 95ºO

longitud de un punto es el ángulo que forma el meridiano que pasa por el punto y el meridiano origen de Greenwich. Se cuenta de 0º a 180º a uno y otro lado del meridiano origen, por lo que hay que especificar si el punto está el este o al oeste de dicho origen

meridiano de Greenwich

Ecuador

latitud de un punto es la separación que existe entre dicho punto y el Ecuador. Se cuenta de 0º a 90º a uno y otro lado del Ecuador, por lo que hay que especificar si el punto está en el hemisferio Norte o en el Sur

Mapa del mundo publicado por Mercator en 1585.

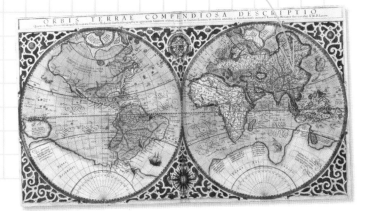

La cuadratura del círculo

El globo terráqueo es la manera más exacta de representar la Tierra, en él todos los puntos guardan la misma posición y distancia relativa que detentan en la realidad. Por ello, el globo es el único mapa "conforme", o sea, el único que reproduce áreas y distancias según la escala que corresponde y mantiene las formas reales. Cualquier otra forma de representación de una esfera, necesariamente presentará distorsiones. Pero el globo es un objeto voluminoso y difícil de manipular. Es por esto que, desde la antigüedad, el hombre ha buscado otra forma de representar la Tierra mediante distintos sistemas matemáticos, denominados proyecciones, para intentar trasladar una realidad esférica a una superficie plana, el mapa.

Los sistemas de proyección

- **Proyecciones conformes**: Representan la esfera respetando la forma, pero no el tamaño.
- **Proyecciones equivalentes**: Respetan las dimensiones de las áreas pero no sus formas.
- **Proyecciones equidistantes**: Mantienen la distancia real entre los distintos puntos del mapa.

Hay infinidad de maneras de pelar una naranja. Sin embargo, no hay modo de extender la cáscara de manera que sus puntos mantengan las distancias originales y su posición relativa.

Proyección cilíndrica de Mercator

En su elaboración se emplea un cilindro y, por ello, la representación de la superficie terrestre con mayor precisión corresponde a los paralelos que hacen contacto con el cilindro.

Proyección cónica Lambert

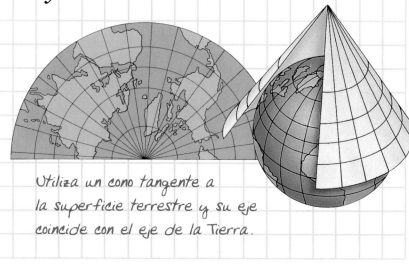

Utiliza un cono tangente a la superficie terrestre y su eje coincide con el eje de la Tierra.

Proyección homolosena de Goode

Proyección discontinua en la que la Tierra se representa en partes irregulares unidas. Se consigue así mantener la sensación de esfera y una distorsión mínima de las zonas continentales.

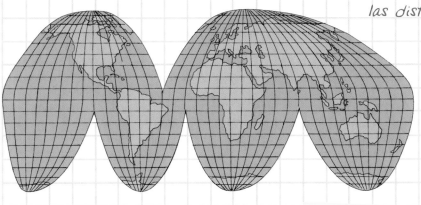

Proyección de Peters

Se trata de una proyección equivalente. Los tamaños de las masas continentales están bien delimitados, pero sus formas han sido enormemente distorsionadas y las distancias son muy imprecisas.

Actualmente, en la realización de los mapas a mediana y gran escala se utilizan, casi exclusivamente, proyecciones conformes.

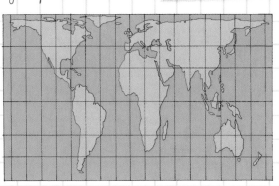

Proyección acimutal polar

Utiliza un plano tangente a los polos. En este caso son correctas las dimensiones en torno al Polo, pero se distorsionan conforme nos alejamos de él.

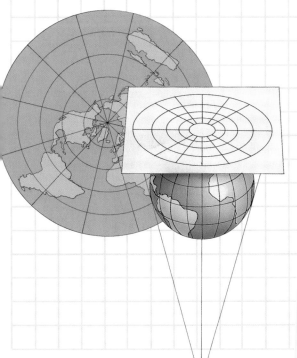

Proyección Universal Transversal de Mercator (U.T.M.)

Este sistema recurre al método de subdividir la superficie terrestre en 60 zonas iguales o husos de 6 grados de longitud, con lo cual resultan 60 proyecciones iguales, pero cada una con su respectivo meridiano central.

cada huso tiene 6° de amplitud

el cilindro es desarrollable (podemos abrirlo)

proyección

el cilindro gira para ir definiendo los diferentes husos

meridiano de tangencia del huso, que es a la vez el meridiano central del huso

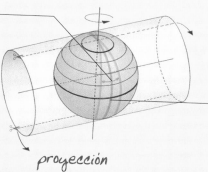

Proyección UTM

Proyección LON/LAT

origen de las coordenadas

Ecuador

meridiano central del huso

límites del huso

reproyección

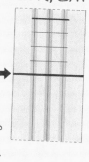

9

Reduciendo distancias

Cuando queremos hacer la representación sobre un papel de una zona debemos reducir sus medidas para que el dibujo quepa en él. La relación que existe entre la medida de una distancia en el mapa y la medida de esa misma distancia en la realidad se llama escala y se representa por una fracción.

La escala se puede representar también de forma gráfica, mediante un segmento dividido en partes iguales que permite medir directamente las distancias en el mapa, como si se tratara del propio terreno.

Mapas a gran escala

(escala de 1:10.000 a 1:50.000). Representan con gran detalle la realidad al ilustrar en una superficie cartográfica grande una zona reducida de la superficie terrestre. Permite representar pueblos y detalles de ciudades.

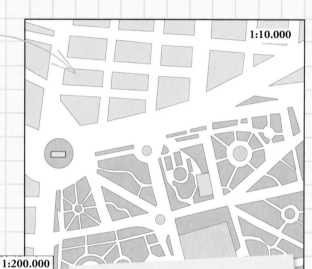

1:10.000

Mapas a media escala

(escala de 1:50.000 a 1:200.000). Permiten representar grandes ciudades y comarcas.

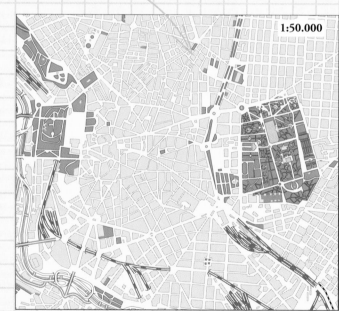

1:50.000

Cuanto mayor sea el denominador de la fracción más pequeña es la escala. Cuanto menor sea el denominador de la fracción más grande es la escala.

1:200.000

Mapas a pequeña escala

(escala inferior a 1:200.000). Representan zonas extensas de la Tierra en superficies cartográficas muy pequeñas, como provincias o pequeños países.

Escala numérica

La escala numérica (E) relaciona el tamaño del mapa con su tamaño real sobre el terreno. Así, una E de 1:10.000 significa que una unidad sobre el mapa es equivalente a 10.000 unidades sobre el terreno real. De esta forma podemos establecer que 1 cm del mapa es igual a 10.000 cm de la realidad, o sea a 100 m.

Escala gráfica

Con la escala gráfica podemos medir directamente distancias del terreno sobre el propio mapa. Simplemente habrá que medir la distancia que se desea y luego transportarla sobre la escala gráfica para obtener la distancia.

```
0        10        20        30 km
```

Escala 1:500.000

Curvímetro

Es un aparato que permite efectuar mediciones de distancias directamente sobre el plano. Consta de una esfera graduada, un mango y una ruedecilla móvil. Se desliza la ruedecilla por encima del trazado que hay que seguir y mediante un juego de ruedas dentadas, este movimiento se transmite a la aguja de la esfera que va señalando la distancia recorrida sobre sus graduaciones.

Distancias

Cuando en un plano medimos la distancia entre dos puntos y aplicamos la escala, lo que obtenemos es la distancia horizontal o reducida. La distancia real nos resultará prácticamente imposible de determinar, aunque sí podremos determinar con más facilidad la distancia natural o geométrica, que es la equivalente a la longitud de un cable tenso entre esos dos puntos.

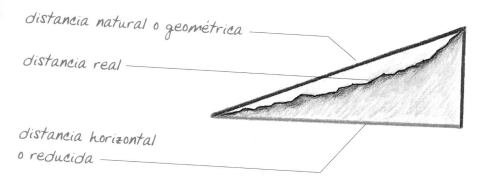

distancia natural o geométrica

distancia real

distancia horizontal o reducida

Escalímetro

Nos permite hacer medidas directas de distancias sin tener que hacer operaciones matemáticas. Se trata de una regla de 30 cm de longitud y de sección estrellada de 6 caras. Cada una de estas caras va graduada con escalas diferentes, que habitualmente son: 1:100, 1:200, 1:250, 1:300, 1:400, 1:500.

11

En busca del Norte

La Tierra posee un poderoso campo magnético, como si el planeta tuviera un enorme imán en su interior y a cuyos polos apunta la aguja de la brújula. En la actualidad, estos polos magnéticos no coinciden con los polos geográficos de su eje, por lo que una brújula no apunta exactamente hacia el norte geográfico. Además, existe otro polo, el llamado polo norte de la cuadrícula de los mapas, que tampoco coincide con los otros dos.

Norte magnético (NM)

Es el punto de la superficie terrestre que atrae el extremo rojo de la aguja de la brújula. La posición del polo norte magnético no tiene una ubicación fija y muestra ligeros cambios de un año para otro, e incluso existe una pequeñísima variación diurna sólo detectable con instrumentos especiales.

Brújulas con mucha vida

La orientación animal ha sido uno de los grandes misterios de la naturaleza, pero hoy en día el misterio se está empezando a desvelar. Tras numerosos estudios se comienza a confirmar que muchos seres vivos (aves migratorias, ballenas, bacterias, peces, insectos, etc.) utilizan el geomagnetismo para orientarse. Son verdaderas brújulas biológicas. Ello parece deberse a la presencia de diminutas cadenas de cristales de magnetita. Estas células son las causantes del movimiento magnético neto que se alinea con el campo magnético terrestre.

Norte geográfico o verdadero (NG)

El punto de intersección de todos los meridianos da lugar a los polos norte y sur geográficos, por los que pasa el eje de giro de la Tierra. El norte geográfico es aquél donde el eje de rotación de la Tierra apunta a la estrella Polar.

Norte de cuadrícula (NC)

Se corresponde con la dirección del eje vertical del sistema de coordenadas empleado por el mapa que estemos utilizando. Generalmente este norte de cuadrícula no coincide con el norte geográfico.

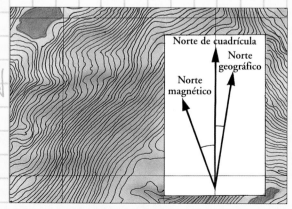

Norte de cuadrícula

Norte geográfico

Norte magnético

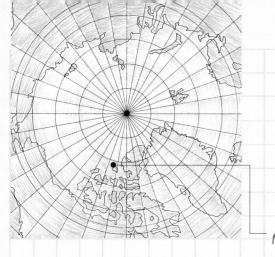

Un polo magnético muy inquieto

El polo norte magnético es un punto móvil que se desplaza 25 km hacia el norte y 6 km hacia el oeste cada año. Eso implica que para un mismo punto tenemos múltiples nortes magnéticos en función de la fecha de medición elegida.

— polo norte magnético

¿Dónde está ahora el polo norte magnético?

Por el momento, se encuentra localizado en el norte de Canadá, a unos 600 km aproximadamente de la ciudad más cercana, Resolute Bay, y a 1.600 km del polo norte geográfico.

¿Dónde está ahora el polo sur magnético?

El polo sur magnético se sitúa hoy en el extremo del continente antártico en Tierra Adelia, a unos 1.930 km al noreste de Little America (Pequeña América).

Dos declinaciones

Se denomina declinación a la diferencia angular entre el norte magnético y el norte geográfico. La declinación es "este" cuando el norte magnético está al este del norte geográfico, y es "oeste" cuando el norte magnético está al oeste del norte geográfico. La declinación varía de un lugar a otro, pero, dado que las variaciones no son muy grandes, se suele asumir una misma declinación para zonas geográficas próximas.

declinación este	Rumbo magnético° = Rumbo geográfico° - declinación°
declinación oeste	Rumbo magnético° = Rumbo geográfico° + declinación°

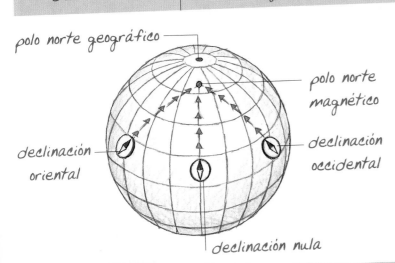

polo norte geográfico —

polo norte magnético

declinación oriental

declinación occidental

declinación nula

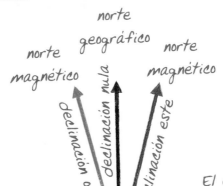

norte geográfico

norte magnético

norte magnético

declinación oeste

declinación nula

declinación este

El explorador estadounidense Edwin Peary, quien alcanzó el polo norte en abril de 1909.

El gran logro de la cartografía

El relieve es la diferencia de nivel entre los distintos puntos de la superficie terrestre. La información sobre el relieve se requiere para muchos propósitos: trabajos de construcción de obras civiles, usos militares, excursionismo y turismo, geología, medio ambiente y muchas otras aplicaciones. Para representar el terreno se utilizan principalmente tres métodos: los mapas en relieve, los mapas de planos acotados y las fotografías aéreas.

Equidistancias y curvas de nivel en el mapa topográfico

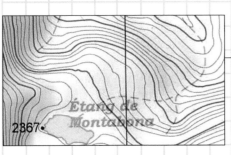

curvas intermedias
o secundarias
en esta escala hay cuatro
curvas intermedias entre dos
curvas maestras, cada una
de las cuales representa una
equidistancia de 10 m

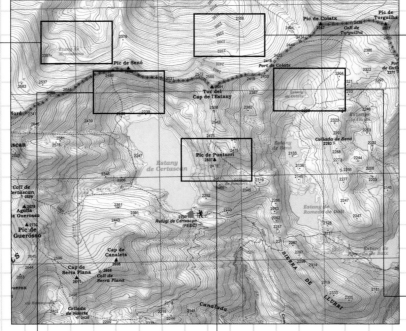

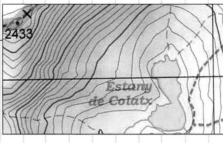

equidistancia
es la diferencia de altitud entre
dos curvas de nivel consecutivas,
en este caso es de 10 m

cota de la curva maestra
es un número que indica su
altitud sobre el nivel del mar

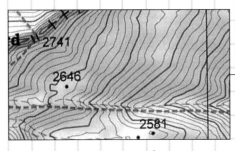

curvas maestras
son las más gruesas; tienen
un número que indica su
altitud sobre el nivel del mar

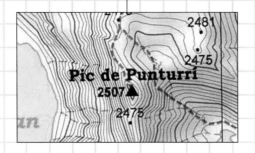

cota de una cima
es un punto con un número que indica la altitud del
punto más alto de la montaña sobre el nivel del mar

Los mapas en relieve

Consisten en reproducciones del terreno tal y como es en realidad, en sus tres dimensiones, reducidos a una escala determinada. Normalmente están hechos de PVC y son los mapas que dan la imagen más próxima a la realidad. Para poder apreciar correctamente el relieve la escala vertical de estos mapas-maqueta está exagerada.

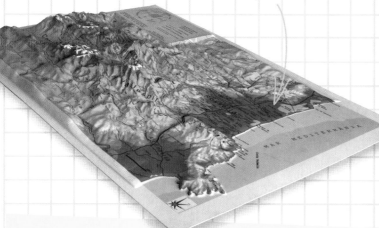

Las fotografías aéreas

Las fotografías aéreas son imágenes de la superficie terrestre que se toman desde medios aéreos (aviones, helicópteros, satélites, etc.), por lo que están reflejadas en ellas todos los objetos visibles en la superficie. Tienen el inconveniente de que en ellas no se puede apreciar el relieve a no ser que se utilicen estereoscopios.

Fotografía aérea de Boston.

Fotografía aérea de París.

Representación del terreno mediante curvas de nivel

La manera de representar en un plano las diferentes alturas que tiene el terreno se realiza mediante las curvas de nivel. Una curva de nivel recorre todos los puntos que están a una misma altura a modo de rodaja, siguiendo ciertas reglas: son siempre cerradas, es decir, vuelven al mismo punto si las recorremos enteras y nunca se cruzan o bifurcan.

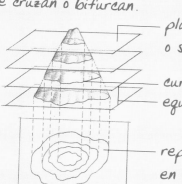

- plano acotado o superficie de nivel
- curva de nivel
- equidistancia vertical
- representación en el mapa

El estereoscopio

Es un instrumento construido con lentes y espejos que sirven para forzar la visión en paralelo y conseguir observar con cada ojo una sola imagen. Con ellos se consigue ver en tres dimensiones las fotografías aéreas sin forzar la vista.

Fotografía espectrométrica de los Himalaya y el Tibet que resalta el relieve.

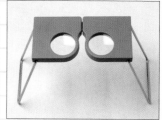

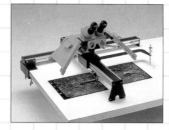

Distintos tipos de estereoscopios.

Los secretos de las curvas de nivel

Para interpretar el terreno y dar las pistas necesarias para poder imaginar en tres dimensiones las características reales del paisaje que representa un mapa, los expertos en levantar planos crearon las curvas de nivel. Estas curvas resuelven por medio de dibujos lineales la necesidad de imaginar la fisonomía de un paisaje, informando gráficamente de todos los detalles referentes a los accidentes geográficos del terreno: subidas, bajadas, pendientes, montañas, valles, mesetas, escarpes, collados, etc.

mapa topográfico

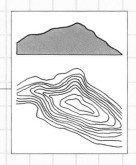

pico

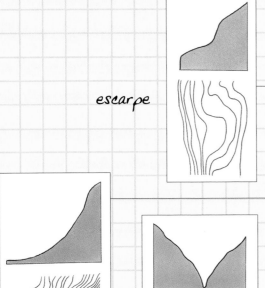

escarpe

relieve real

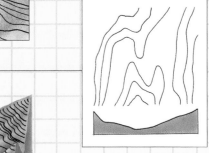

puerto o collado

pendiente
fuerte

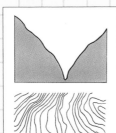

desfiladero

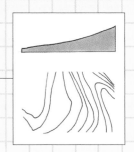

pendiente suave

Las vertientes y las divisorias de aguas

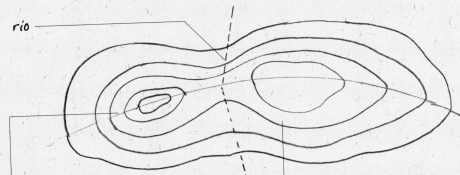

río

divisoria o línea de crestas
es el encuentro de dos vertientes
que se unen originado una línea
imaginaria del terreno que separa
las aguas hacia una u otra ladera

vertiente o ladera
es la superficie que une la
vaguada con la divisoria; si
es muy vertical se denomina
escarpe, risco o pared

La sensación de relieve por medio de sombreado

Consiste en oscurecer con distintas intensidades
determinadas zonas del mapa suponiendo
que existe una fuente de luz procedente
del NW (Noroeste) con una inclinación de 45°.

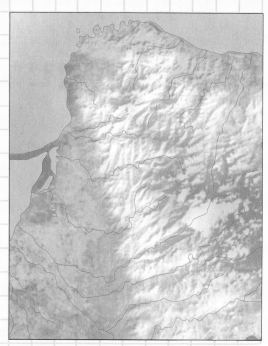

La sensación de relieve por medio de tintas hipsométricas

Consiste en colorear el espacio comprendido entre dos curvas de nivel (no necesariamente
consecutivas) de distintos colores o del mismo color, pero con tonalidades diferentes.

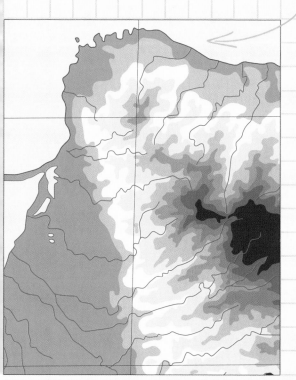

El macizo del Annapurna, el primer
ochomil conquistado por el hombre.

Algo más que curvas de nivel

Los excursionistas utilizan unos mapas topográficos especiales para orientarse y planear sus rutas. Son mapas que nos permiten interpretar la forma de la superficie de la Tierra mediante curvas de nivel, representando así montañas, valles, ríos, lagos, etc.

Tienen además información sobre todo tipo de caminos y carreteras, rutas turísticas y otras obras humanas como presas, ciudades, poblaciones, líneas de electricidad, ferrocarriles, etc. Asimismo, señalan límites administrativos y el tipo de vegetación de un área.

18

1. la red hidrográfica, lagos, lagunas, estanques, etc., están dibujados en color azul

2. todos los mapas tienen una leyenda indicando qué significan los signos convencionales

3. la vegetación, tanto la natural como la mayoría de los cultivos, está dibujada en diferentes tonos de verde y otros símbolos especiales.

4. los senderos excursionistas suelen estar marcados en rojo

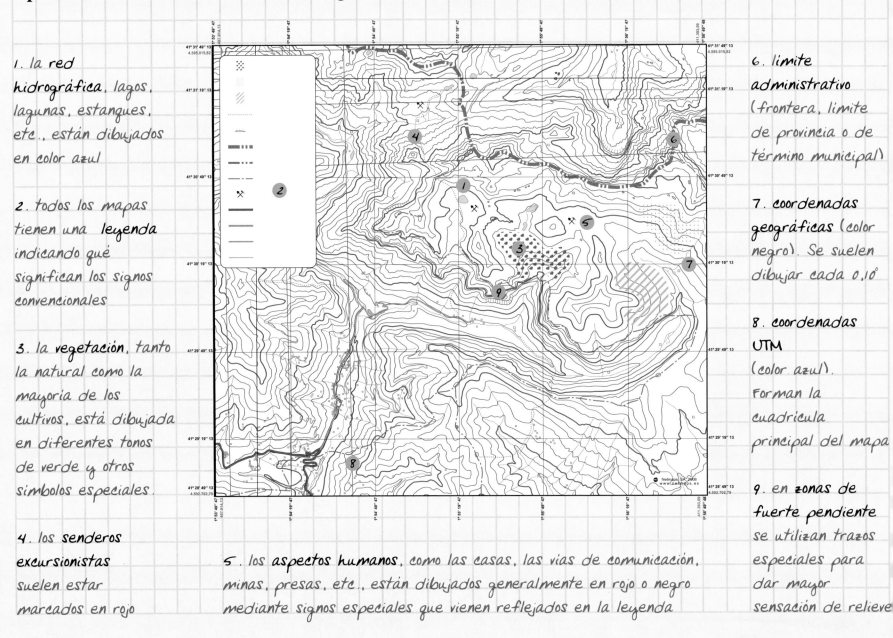

6. límite administrativo (frontera, límite de provincia o de término municipal)

7. coordenadas geográficas (color negro). Se suelen dibujar cada 0,10°

8. coordenadas UTM (color azul). Forman la cuadrícula principal del mapa

9. en zonas de fuerte pendiente se utilizan trazos especiales para dar mayor sensación de relieve

5. los aspectos humanos, como las casas, las vías de comunicación, minas, presas, etc., están dibujados generalmente en rojo o negro mediante signos especiales que vienen reflejados en la leyenda

Una información que nunca falta

Todos los mapas topográficos disponen de un recuadro de información sobre la convergencia, declinación, tipo de proyección y otros datos técnicos.

Huso 31. Convergencia de la cuadrícula ω: 0° 32' 16" W
Declinación magnética para el 1 de diciembre de 2003: δ: 0° 47' W
Variación anual de la declinación: 7,2'E

NC: Norte de la Cuadrícula
NM: Norte Magnético
NG: Norte Geográfico

Datos referidos al centro del mapa.
Proyección UTM.
Elipsoide de Hayford. Longitudes referidas al de Greenwich. Datum Europeo de 1950

Coordenadas geográficas: color magenta
Coordenadas UTM (cada km): color negro

Datos de la declinación calculadas por el Centro Nacional de Información Geográfica

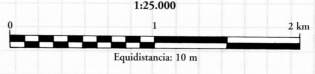

Diferentes escalas, diferentes equidistancias

La equidistancia es la diferencia constante entre dos curvas de nivel consecutivas. A mayor escala del plano, mayor número de curvas de nivel podremos representar sin pérdida de claridad.

ESCALAS	Equidistancia	Curvas maestras	Curvas secundarias
1:5.000	2 m	10 m	4
1:10.000	5 m	25 m	4
1:25.000	10 m	50 m	4
1:50.000	20 m	100 m	4
1:100.000	40 m	200 m	4
1:200.000	100 m	400 m	3

La escala y la equidistancia

Todos los mapas deben tener su escala gráfica y numérica, así como informar de la equidistancia entre las curvas de nivel.

1:25.000

0 — 1 — 2 km

Equidistancia: 10 m

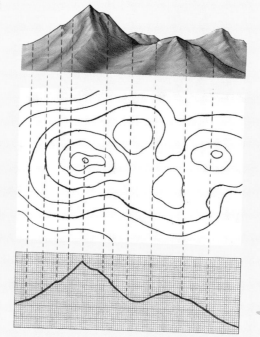

El corte topográfico

El corte topográfico sirve para hacerse una idea de cómo es el relieve que está dibujado en el mapa. Para levantarlo debemos partir de la información que nos proporciona el mapa, es decir, las curvas de nivel, la distancia horizontal entre dos puntos y la escala.

Para no perder el norte

La brújula es un instrumento que nos indica dónde está el polo norte magnético. Está formada por una aguja imantada en uno de sus extremos que, debido al campo magnético terrestre, gira sobre un eje hasta señalar hacia el norte. En torno a esa aguja hay una circunferencia graduada, en la que el norte marca los 0º o 360º, el este los 90º, sur 180º y oeste 270º.

Los chinos fueron los primeros en descubrir la polaridad del imán y la acción que sobre el mismo ejerce la Tierra. Luego fueron los árabes los que aprendieron el uso de la brújula, dándola a conocer a los europeos, que la utilizan a partir del siglo XII.

espejo

gomas antideslizantes para favorecer el agarre de la brújula sobre superficies lisas o inclinadas

marcas paralelas N-S para facilitar la orientación con el mapa

limbo graduado giratorio y numerado. Estructura esférica móvil en la cual se halla la aguja magnética inmersa en aceite

escalas gráficas

cordón para transporte y manejo

aguja de acero señalizadora, inmersa en líquido y estabilizada. La parte coloreada en rojo indica el norte

flecha indicadora de la dirección principal

el clinómetro, se utiliza para medir pendientes

reglas laterales en centímetros y pulgadas

lupa, para ver mejor letras, cifras o detalles muy pequeños en el mapa

placa base transparente

Otros modelos de brújula

De dedo.

Para carreras y orientación.

Digital.

De espejo.

De pulsera.

Un instrumento delicado

Los objetos metálicos y las conducciones eléctricas de alta intensidad cercanos a la brújula pueden perturbar su funcionamiento. Los campos magnéticos pueden incluso en determinadas circunstancias invertir la polaridad. Por eso, en el momento de utilizar la brújula hay que hacerlo unos cuantos metros separados de objetos como vehículos, alambradas, vallas y postes metálicos, conducciones de electricidad importantes, etc.

Las principales funciones de la brújula

· Indica la dirección del norte magnético (nos servirá para orientar bien el mapa).

· Puede utilizarse para trazar rumbos, medir el acimut y determinar orientaciones de una dirección.

· Sirve como escala para medir las distancias en el mapa.

Cómo utilizar la brújula

1. Colocar la brújula justo a la altura de la cintura.
2. El frente del cuerpo debe mirar en la misma dirección que la flecha de dirección de viaje.
3. La brújula no debe estar inclinada.
4. Alejarse de cuerpos metálicos o electrificados.
5. Quitarse el reloj de pulsera (sobre todo si es electrónico) al usarla.

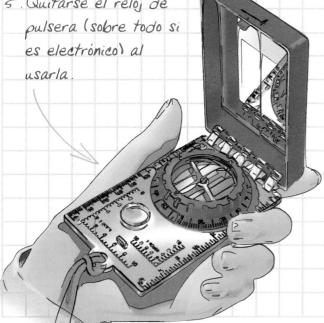

¿Qué se puede medir con una brújula?

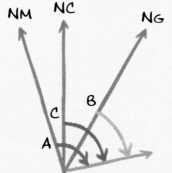

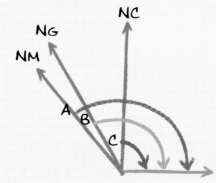

Rumbo (A)
Es el ángulo formado entre una dirección cualquiera y el norte magnético, medido siempre en el sentido de las agujas del reloj.

Acimut de una dirección (B)
Es el ángulo formado por una dirección cualquiera y el norte geográfico, medido en el sentido de las agujas del reloj, desde el norte geográfico a la dirección deseada.

Orientación de una dirección (C)
Es el ángulo entre una dirección cualquiera y el norte de la cuadrícula.

La tecnología al servicio del excursionista

Aparte de la brújula y el mapa, el excursionista debe disponer de otros instrumentos que faciliten la orientación y el cálculo de distancias y que le permitan saber con suficiente antelación un cambio repentino de las condiciones meteorológicas. Es aquí donde entran en juego el altímetro, el curvímetro y el llamado GPS.

El altímetro digital

Nos sirve para saber a qué altura estamos o cuántos metros llevamos ascendidos o descendidos y nos ayuda a situarnos en el mapa teniendo la referencia de la altura. En realidad es una estación meteorológica de bolsillo, ya que dispone de reloj, termómetro y barómetro.

altitud
termómetro
barómetro

Aunque de manejo más complejo, el GPS sustituye con ventaja a la brújula tradicional.

El GPS funciona en cualquier tipo de condiciones meteorológicas.

El receptor GPS (Global Positioning System)

Determina nuestra posición vía satélite y además permite calcular la dirección de marcha, el trayecto que llevamos recorrido, la distancia entre dos puntos, y muchas más utilísimas funciones. Algunos incorporan barómetro y altímetro.

22

La pantalla de adquisición de satélites del GPS

La función de esta pantalla es la de informarnos sobre la comunicación GPS - satélites: cuáles de los 28 satélites están enviándole información al receptor, la calidad de recepción, los satélites que están tapados, etc.

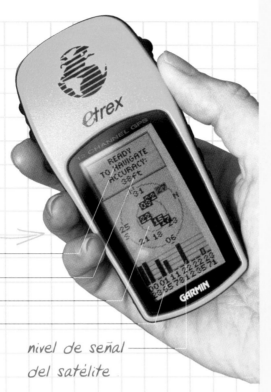

- estado
- precisión
- ubicación de los satélites
- número de satélite
- nivel de señal del satélite

La pantalla de posición del GPS

Nos informa de dónde estamos, hacia dónde vamos y qué velocidad llevamos.

- indicador gráfico de rumbo
- rumbo
- velocidad
- distancia recorrida
- coordenadas
- hora GPS

Cuando se desea determinar la posición, el receptor GPS localiza automáticamente como mínimo cuatro satélites de la red. Por "triangulación" calcula la posición en que nos encontramos.

El GPS es un sistema de radionavegación basado en una constelación de satélites. Esta constelación está formada por seis órbitas circulares a una altitud de 20.180 km en la que se encuentran cuatro satélites, que completan dicha órbita en 12 horas. Esta distribución de satélites esta pensada para que al menos de cuatro a seis satélites sean visibles desde cualquier parte del mundo.

El rumbo correcto

Una de las principales aplicaciones de la brújula es averiguar el rumbo hacia un lugar que tenemos a la vista en el paisaje; por ejemplo, una población. Así, sabremos qué dirección debemos mantener y evitaremos perdernos si por culpa de la vegetación o de los accidentes geográficos perdemos de vista el objetivo. También se puede aplicar la brújula a la inversa; es decir, nos proporcionan un rumbo que hay que seguir y tenemos que materializarlo en el terreno.

Dado un rumbo, materializar la dirección en el terreno

a. En primer lugar giramos el limbo hasta que la línea indicadora de grados coincida con el rumbo que vamos a seguir.

b. Poniendo la brújula lo más horizontal posible, giramos sobre nosotros mismos sin movernos del terreno hasta que la aguja magnética coincida con las referencias norte-sur de la brújula.

c. Observamos por la línea de mira y tomamos una referencia lo más lejana posible.

d. El rumbo pedido nos lo materializa el punto en el que estamos y la referencia lejana que hemos tomado anteriormente.

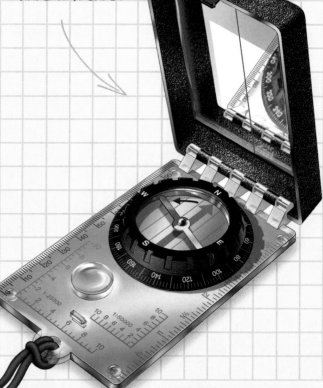

Hallar el rumbo de una dirección dada en el terreno

a. Situados en el punto A, miramos a través del visor de la brújula o la flecha de dirección el punto de destino o la dirección que pretendemos seguir, llamada B.

b. Sin dejar de mirar el punto B, giramos el limbo móvil de la brújula hasta que la punta imantada de la aguja (normalmente de color rojo y que señala la dirección norte) y la cola de la misma (generalmente de color blanco) coincidan con las marcas de norte de meridiano de la brújula.

c. Ahora ya podremos leer el rumbo en el punto indicador de los grados del limbo.

Procedimientos para salvar obstáculos de la ruta

Método por desviación de 90°

Salimos del punto A pretendiendo llegar al punto C y nos encontramos con el obstáculo en el punto B. Añadimos entonces 90 grados a nuestro rumbo en B (es decir nos desviamos hacia el lado) y caminamos, contando la distancia recorrida, hasta que veamos que podemos retomar el rumbo al habernos alejado del obstáculo (D). Después restamos 90° para retomar el rumbo (estaremos paralelos al rumbo inicial), hasta que hayamos sobrepasado el obstáculo (E) y volveremos a restar 90° (estaremos volviendo a la posición en la que estaríamos si hubiéramos seguido el rumbo a través del obstáculo). Cuando hayamos recorrido la misma distancia que en el primer paso habíamos medido (F), volvemos a sumar 90° y estaremos en el rumbo inicial dirigiéndonos a C.

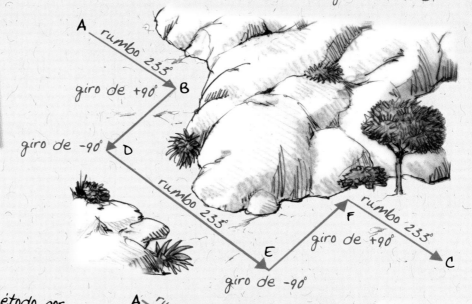

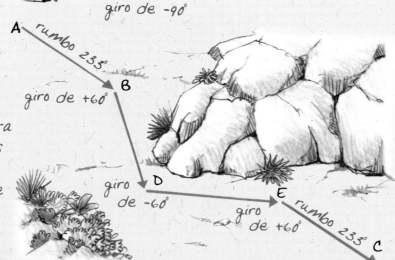

Método por desviación de 60°

Se trata de una alternativa del método anterior para aquellos casos en los que el obstáculo es menor, por lo que se pueden realizar menos giros.

No siempre se puede ir en línea recta

Con frecuencia, cuando estamos en una marcha no podemos seguir en línea recta porque aparecen por el camino zonas de vegetación espesa, enormes acumulaciones de piedras, una gran montaña, casas, vallas o construcciones, impidiendo seguir la ruta prevista y provocando un cambio obligado de dirección. Para solucionar este problema y no perder el rumbo existen diferentes métodos.

Por el buen camino

Orientarse es saber dónde estamos, ser capaces de identificar el terreno que nos rodea y elegir el mejor camino para llegar al sitio elegido. Para ello nos servimos del mapa y generalmente de un importante elemento complementario: la brújula. Ningún mapa sirve para nada si no podemos identificar el lugar donde nos encontramos dentro de él. Pero una vez situados debemos orientar el mapa, para que las direcciones que se marcan en él sean las mismas que en la realidad.

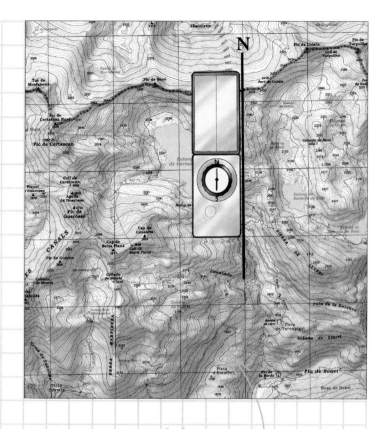

Determinación de la dirección de marcha en el mapa

1. Colocar la brújula sobre el mapa con un canto lateral sobre la recta que une la posición actual A y el punto de destino B. La flecha direccional debe apuntar hacia el destino B.

2. Girar la cápsula de la brújula hasta que las líneas N-S de la cápsula estén situadas paralelamente a la red de cuadrícula N-S del mapa.

3. Levantar la brújula y apuntar, orientando la brújula hasta que la aguja que indica el N coincida con la marca de Norte, entonces en esta dirección seleccionar puntos destacados del terreno como referencia.

Orientación del mapa

Para orientar el mapa colocamos la brújula paralelamente a los meridianos, o el borde derecho o izquierdo de la hoja si no hay dibujados meridianos. Entonces giramos la hoja hasta que el limbo de la brújula coincida con la dirección que marca la aguja. En ese momento tenemos el mapa orientado.

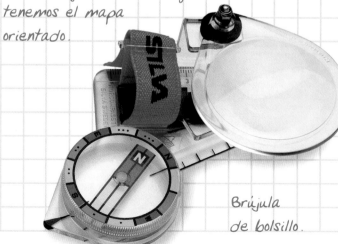

Brújula de bolsillo.

¿Dónde está el Norte en un mapa?

En todo mapa, a no ser que se diga lo contrario, el norte está en la parte superior de la hoja, el sur en la inferior, el este a la derecha y el oeste a la izquierda. En los mapas en los que esto no es así, aparece una rosa de los vientos indicando cuál es la dirección del Norte.

Determinación de nuestra posición actual

1. Apuntar con la brújula un punto conocido en el terreno y ajustar el ángulo de dirección.
2. Colocar la brújula sobre el mapa con el canto lateral en la marca del punto conocido y girarla hasta que las líneas N-S de la cápsula estén paralelas a la red de cuadrícula N-S del mapa.
3. Trazar en el mapa una recta paralela al canto lateral de la brújula en dirección de la parte anterior de la brújula, pasando por el punto conocido utilizado.
4. Elegir y apuntar un segundo punto y proceder nuevamente según operaciones 1-3.
5. El punto de intersección de las dos rectas indica la posición propia buscada (la posición se determina con mayor exactitud si el ángulo de las dos rectas se aproxima a 90°).

Determinación en el mapa de un punto visible en el terreno

1. Apuntar con la brújula el punto a determinar y ajustar el ángulo de dirección girando la cápsula de la brújula (situar las marcaciones del norte de la cápsula sobre el norte de la aguja).
2. Marcar en el mapa nuestra posición actual.
3. Colocar la brújula sobre el mapa, acercar el canto anterior de la deslizadora al punto de la posición actual, girar la brújula alrededor del punto de la posición actual hasta que las líneas N-S de la cápsula estén paralelas a la red de cuadrícula N-S del mapa.
4. El punto que queremos determinar se encuentra en la línea generada por el canto lateral de la brújula.

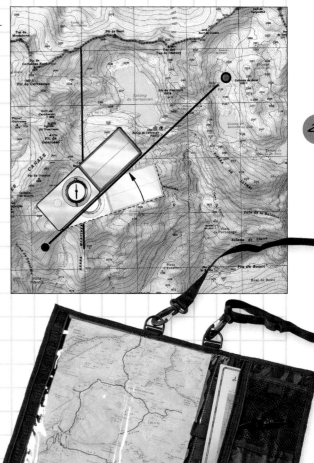

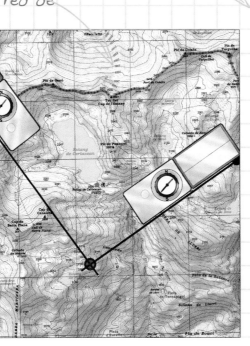

Portamapas.

27

Una ayuda del cielo

Cuando no se dispone de brújula y no se tienen otros datos para orientarse, se recurre a otros procedimientos que, sin proporcionar una gran precisión, definen la dirección norte-sur. Conocer los procedimientos naturales de orientación puede servir de apoyo para seguir una determinada dirección, y siempre resulta útil cuando se trata de salir de una situación complicada.

El Sol no siempre sale por el Este

En Europa, por ejemplo, al mediodía el Sol señala el Sur. Además, a todos nos han enseñado que el Sol sale por el Este y se pone por el Oeste. Sin embargo, sólo lo hace por el punto exacto en los equinoccios, o sea, alrededor del 21 de marzo y del 23 de septiembre. El resto del año la referencia es sólo aproximada.

Orientación por la Luna

La situación de la Luna en el cielo varía según sea la fase en que se encuentre y la hora de observación. Podemos orientarnos con bastante aproximación sabiendo que la situación de la Luna en cada fase y hora es la siguiente:

	18:00 h	24:00 h	06:00 h
Cuarto creciente	Sur	Oeste	no visible
Luna llena	Este	Sur	Oeste
Cuarto menguante	no visible	Este	Sur

Grabado antiguo que representa a Ptolomeo (astrónomo egipcio) y Urania (diosa de la Astronomía) en el que aparecen distintos instrumentos de medida.

Orientación por la estrella Polar (hemisferio norte)

La estrella Polar puede considerarse fija y marca casi exactamente la dirección Norte. Forma parte de la constelación llamada Osa Menor. Para localizarla es suficiente prolongar la línea de la distancia entre las dos estrellas frontales del carro de la Osa Mayor (A) cinco veces y veremos que nos conduce a una estrella poco brillante, que es la estrella Polar. Su proyección vertical sobre la Tierra nos marca el Norte.

Osa Mayor   Osa Menor   Casiopea

estrella Polar

A

Otra forma de localizar la estrella Polar

Casiopea tiene forma de W, se encuentra en la Vía Láctea y gira también en torno a la estrella polar. Si por lo que fuera no se pudiese ver la Osa Mayor, se puede recurrir a esta constelación para localizar aproximadamente la Polar.

Orientación por la Cruz del Sur (hemisferio sur)

En el hemisferio sur no es posible localizar la estrella Polar, y como referencia de orientación se toma la constelación de la Cruz del Sur. Para orientarnos, una vez localizada la constelación prolongamos el palo mayor de la cruz 4 1/2 veces desde su pie. Allí podremos encontrar el polo Sur celeste. Desde ese punto sólo habrá que bajar la vista hacia el horizonte verticalmente y podremos encontrar el Sur terrestre.

Cruz del Sur

Sur celeste

Sur terrestre

29

Orientación con la sombra de un palo

Si clavamos un palo en el suelo, marcamos el extremo de la sombra (a), dejamos pasar quince minutos y volvemos a marcar el nuevo extremo de la sombra (b), al unir estos dos puntos, la línea que obtenemos nos indicará el este y el oeste (el primer punto el oeste y el segundo el este). Al trazar una perpendicular tendremos el norte y el sur.

Sur

a

b

Norte

Señales en la naturaleza

Existen indicios en la naturaleza que pueden darnos pistas sobre la dirección que llevamos. No son muy precisos, pero en circunstancias excepcionales pueden impedir que perdamos el tiempo dando vueltas sin sentido. La orientación por indicios es una suma de pequeños indicadores, donde no existe un factor determinante al cien por cien. La observación constante del terreno y sus elementos nos proporciona referencias que debemos de ir tomando en cuenta.

Orientación por indicios

Veletas. Por lo general, en las veletas que se encuentran en las torres de las iglesias o en los campanarios existe una cruz que indica los puntos cardinales.

Nieve. Permanece más tiempo en el norte y está más blanca y dura que la del sur.

Iglesias. Las iglesias antiguas, cuya planta es una cruz latina, suelen estar orientadas de tal forma que la cabecera de la cruz marca el este.

Mezquitas. Están construidas de tal forma que su fachada principal mira a Oriente.

Norte

Sur

Las plantas también nos ayudan

Los troncos de los árboles suelen presentar el musgo más verde y abundante hacia el norte, el lado contrario del tronco presentará un aspecto amarillento o marrón. En los tocones de los árboles (tronco de árbol sujeto al suelo que ha sido talado) las capas concéntricas están más desarrolladas y son más anchas en la parte orientada al sur.

Observando el comportamiento animal

En el hemisferio norte las aves emigran al sur en invierno.
En el hemisferio sur las aves emigran al norte en invierno.
Algunas aves como el tejedor construyen su nido preferiblemente en la cara oeste de los árboles.
Los nidos de termitas son alargados en la dirección norte-sur, de esta forma reciben mas calor en la mañana y en la tarde.
Los conejos abren sus madrigueras generalmente orientadas al sur.

Estimación de la luz solar

Al estar en el campo es muy útil estimar a grosso modo cuánta luz de dia nos queda. Esto se realiza utilizando nuestra mano para medir ángulos, ya que cuatro dedos equivalen aproximadamente a 15 grados, es decir, a una hora de luz, ya que el ancho de cada dedo corresponde más o menos a 15 minutos de luz solar.

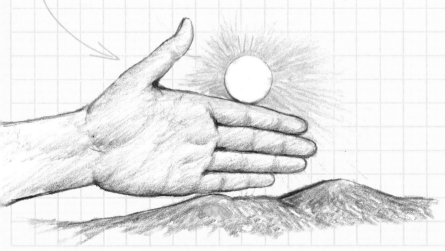

Orientación por el reloj

En las zonas templadas del hemisferio norte, si alineamos la aguja horaria (la pequeña) con el Sol, en la bisectriz que forma ésta con la cifra "12" del reloj se encuentra siempre el sur. En las zonas templadas del hemisferio sur es la cifra 12 la que debe apuntar hacia el Sol, y en la bisectriz que forma con la aguja horaria, se encuentra el norte. Para una correcta orientación debemos poner en el reloj la hora solar, que en España y los paises de su franja horaria es dos horas menos en horario oficial de verano y una hora menos en invierno.

En zonas templadas del hemisferio norte.

En zonas templadas del hemisferio sur.

El senderismo

El senderismo es una actividad de contacto con la naturaleza que consiste en caminar a través de senderos o rutas señalizados. Existen tres tipos de senderos marcados con indicaciones reconocidas internacionalmente: los GR, los PR y los SL. Los caminos utilizados son de uso público, sencillos de recorrer, no tienen tramos peligrosos o excesivamente dificultosos, buscan siempre zonas interesantes, con atractivos naturales (montes, lagos, hoces, bosques) o bien por motivos históricos o culturales.

Senderos de gran recorrido (GR)

Son itinerarios de más de 50 km. proyectados para ser recorridos a pie. Requieren más de una jornada para ser completados y se marcan con los colores rojo y blanco.

Senderos de pequeño recorrido (PR)

Tienen entre 10 y 50 km y a menudo conectan con senderos GR. Pueden ser circulares, de tal manera que comienzan y acaban en el mismo lugar. Los PR se pueden recorrer en pocas horas y aparecen marcados con los colores amarillo y blanco.

	CONTINUIDAD DE SENDERO	DIRECCIÓN EQUIVOCADA	CAMBIO DE DIRECCIÓN
GR			
PR			
SL			

Senderos locales (SL)

Son recorridos de menos de 10 km de longitud que permiten acceder a puntos concretos de interés local; a veces conectan con un GR o un PR.

A menudo coinciden senderos con distinta denominación. A la izquierda, señal de GR, y a la derecha, el símbolo del Camino de Santiago.

Flecha.

Jalón.

Índice alfabético de materias

¿Qué necesitamos para una excursión?

Aunque el senderismo parezca algo tan sencillo como andar, no debemos salir al campo o a la montaña sin el equipo adecuado; así evitaremos que cualquier imprevisto nos juegue una mala pasada.

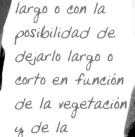

Pantalón largo o con la posibilidad de dejarlo largo o corto en función de la vegetación y de la temperatura.

Bastones telescópicos. Son una enorme ayuda al caminar, aunque también se puede utilizar una rama gruesa y ligera.

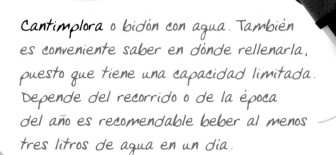

Mochila ligera e impermeable con capacidad adecuada a la duración de la marcha. Tiene que ser lo más cómoda posible y resistente al desgaste.

Cantimplora o bidón con agua. También es conveniente saber en dónde rellenarla, puesto que tiene una capacidad limitada. Depende del recorrido o de la época del año es recomendable beber al menos tres litros de agua en un día.

La **bota** de senderismo debe tener una suela algo rígida y con buen dibujo, de piel, y con media caña para que agarre bien el tobillo. Debe transpirar bien y tener un cierto grado de impermeabilidad.